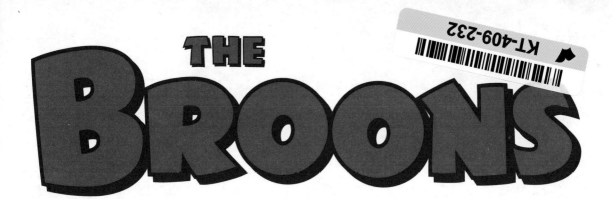

THE BROONS

ISBN 978-1-84535-458-9

Printed in China

Tea's no' the way tae quench yer thirst –
especially on the thirty-first.

Nae need for despair –
when there's money tae spare.

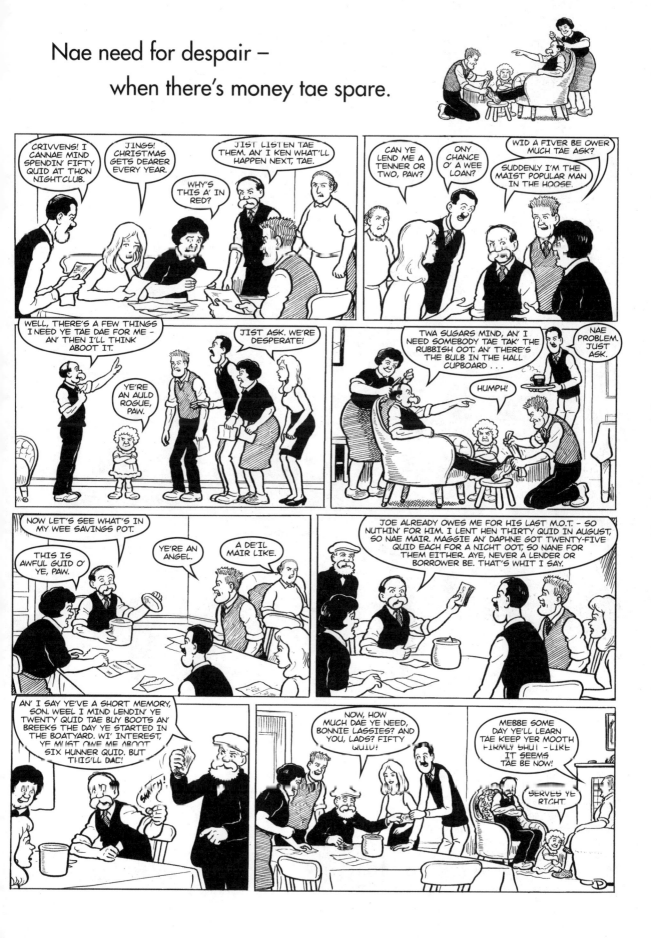

Granpaw's feelin' frisky –
thanks tae a drap o' whisky.

They'll need some Bovril an' a pie –
tae recreate the days gone by.

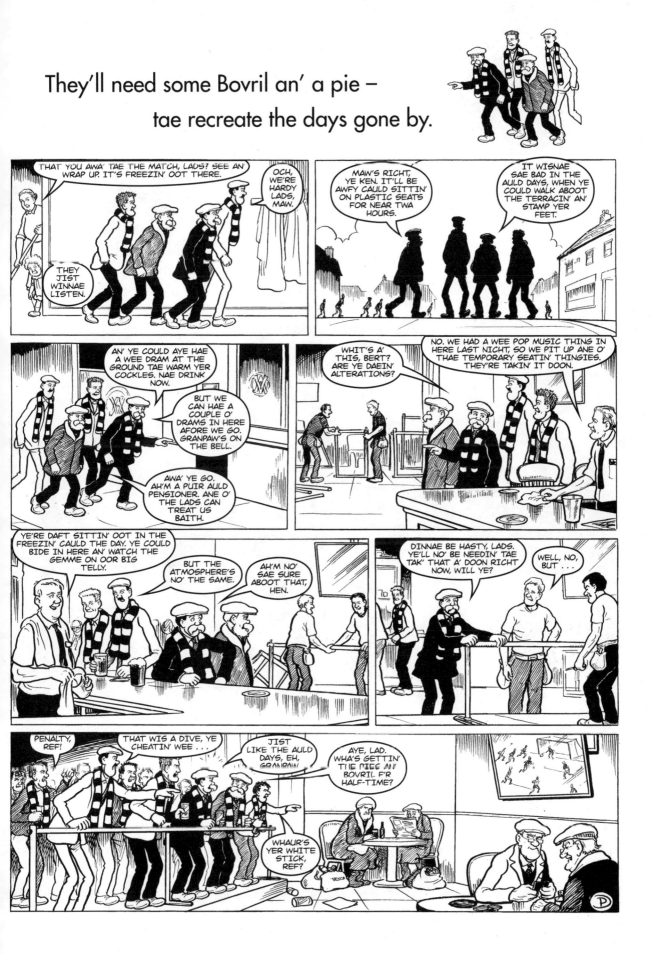

Number 10 is dark as nicht –
but dinnae dare turn on a licht.

The femily's up tae tricks – wi' internal politics.

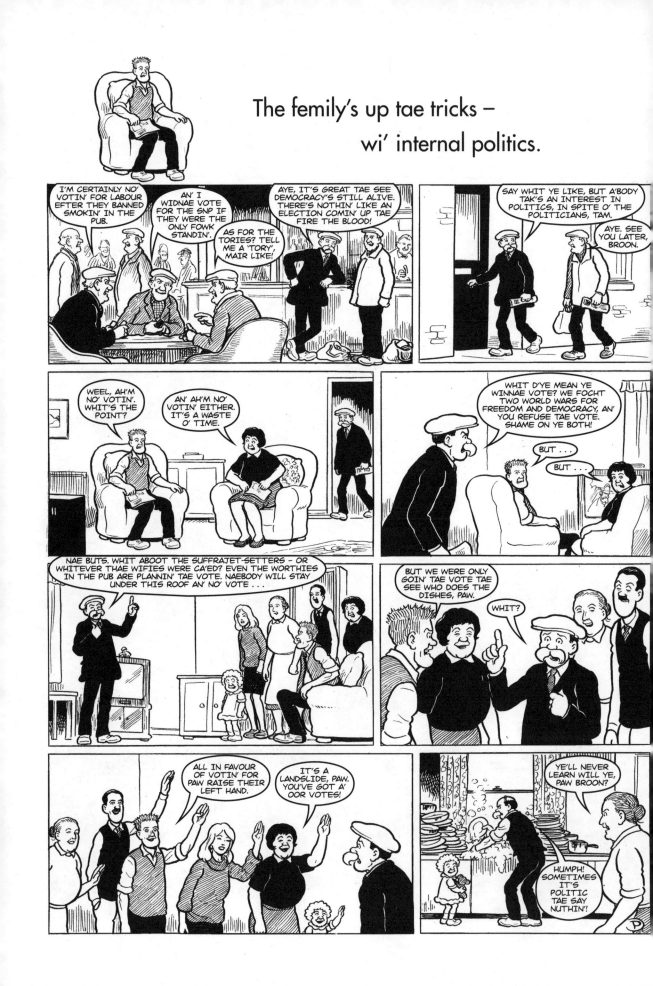

A plate o' tatties an' mince –
   is enough tae mak' Daph wince.

The youngest Broon knows fine –
how tae woo a Valentine.

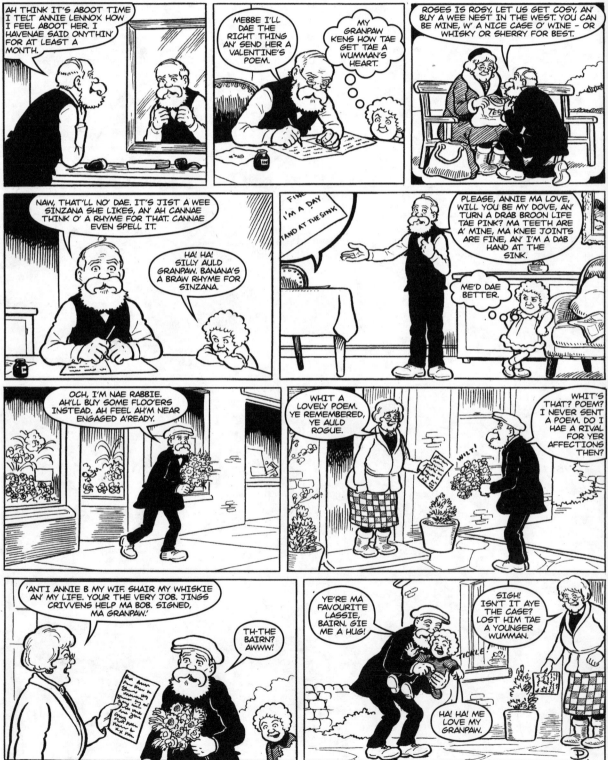

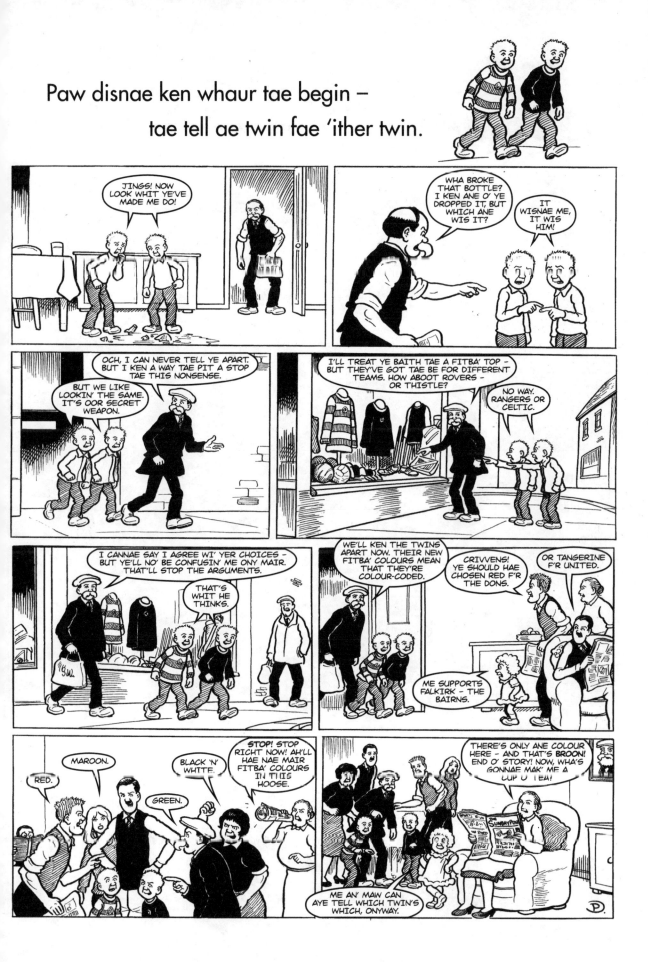

Joe's cost cuttin' solution –

means there's profit in pollution.

Maw only has tae nod –
tae start the firin' squad.

One pile o' auld stuff –
is mair than enough.

It's aye best tae check –
if the lad's name is Lek.

The worst is whit Maw fears –

when her cookbook disappears.

Maw needs help fae her daughters –
when they're landed wi' squatters.

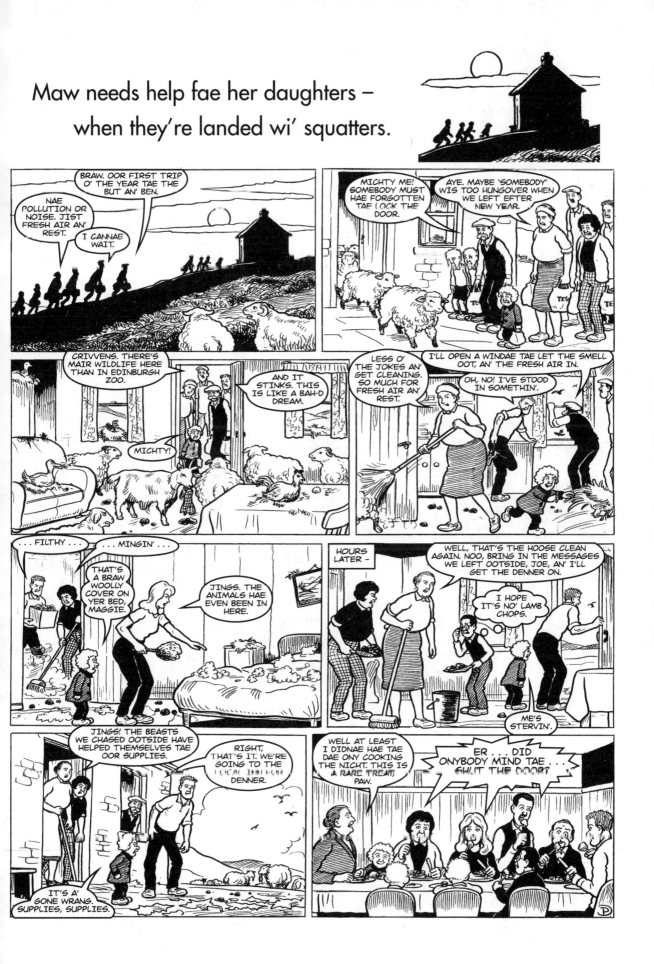

Spoutin' at the double –
Paw 'Marches' intae trouble.

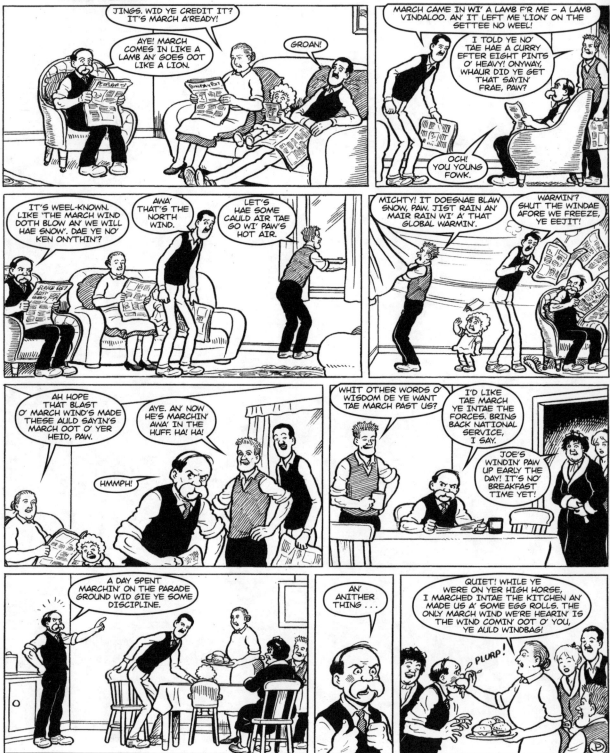

The internet's nae good –

when the Broons are oot o' food.

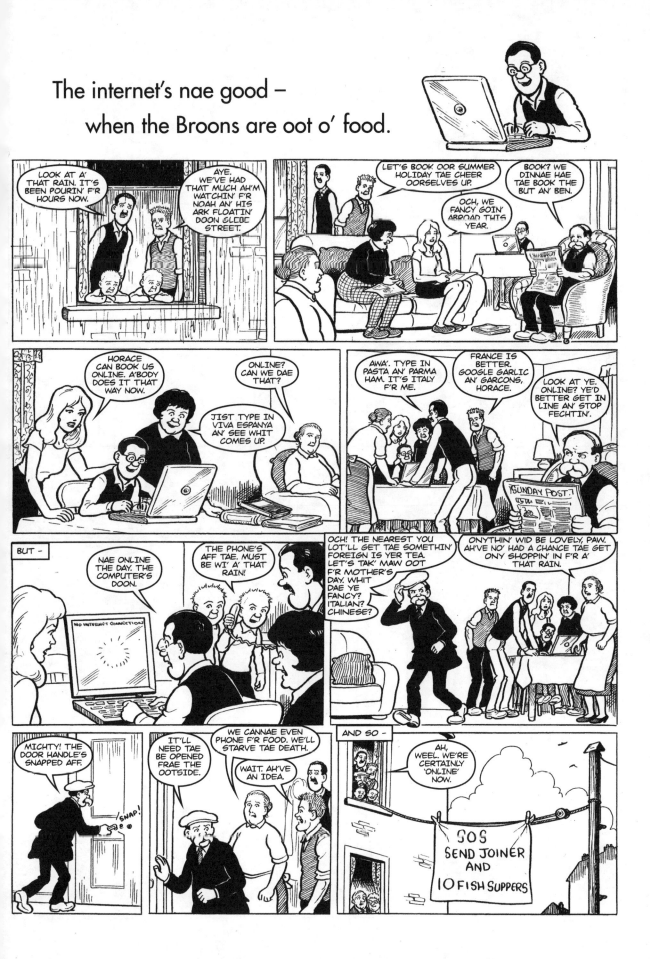

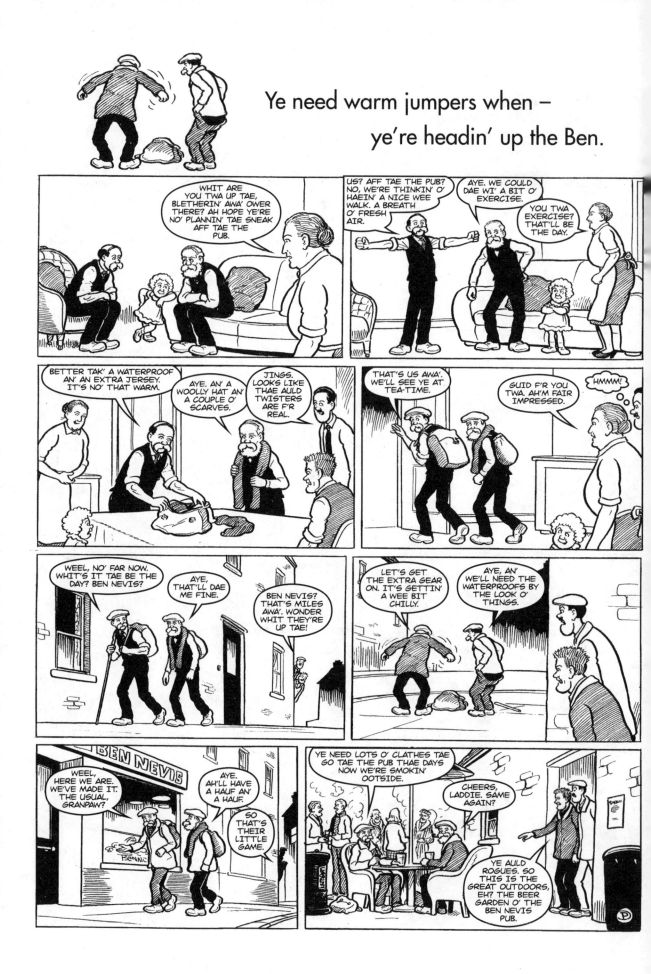

Ye need warm jumpers when –
ye're headin' up the Ben.

It's quite an event –

when the Broons start tae pent.

Watter comin' through the ceilin' –
gies some fowk a sinkin' feelin'.

Ower much joy o' spring –
can be a risky thing.

The roof needs some patchin' –
— wi' guid 'sheep-shape' thatchin'.

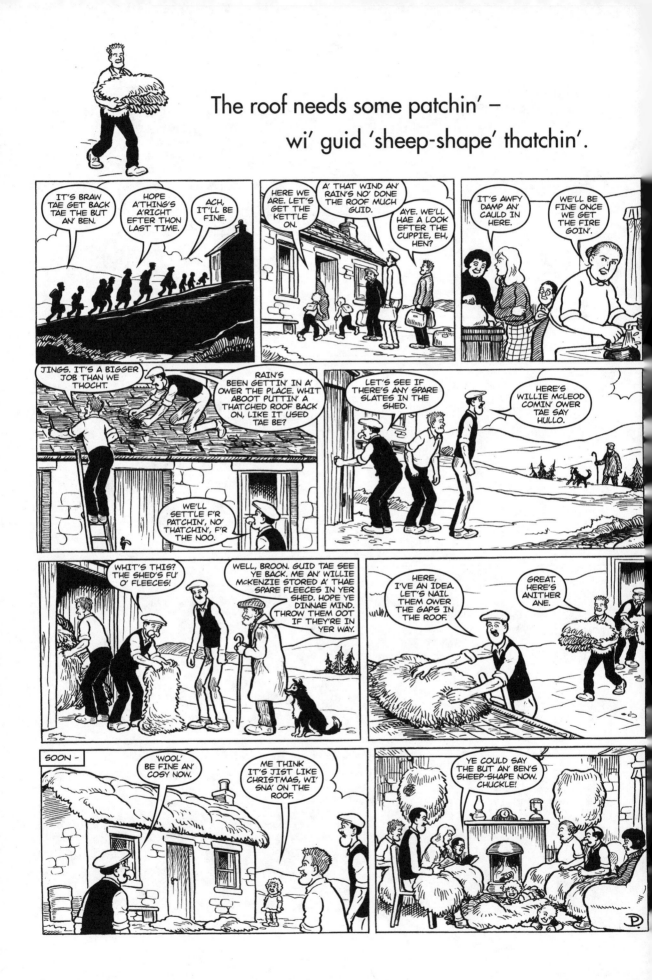

It looks as if the younger folk –

think growin' auld is jist a joke.

Auld Granpaw Broon will no' admit –
tae bein' onythin' but fit.

They micht no' ken the rules –
but they're champs at ten-pin bools.

Paw's red in the face –

wi' his breeks nailed in place.

Whit dae ye suppose'll –
be Maggie's lad's proposal?

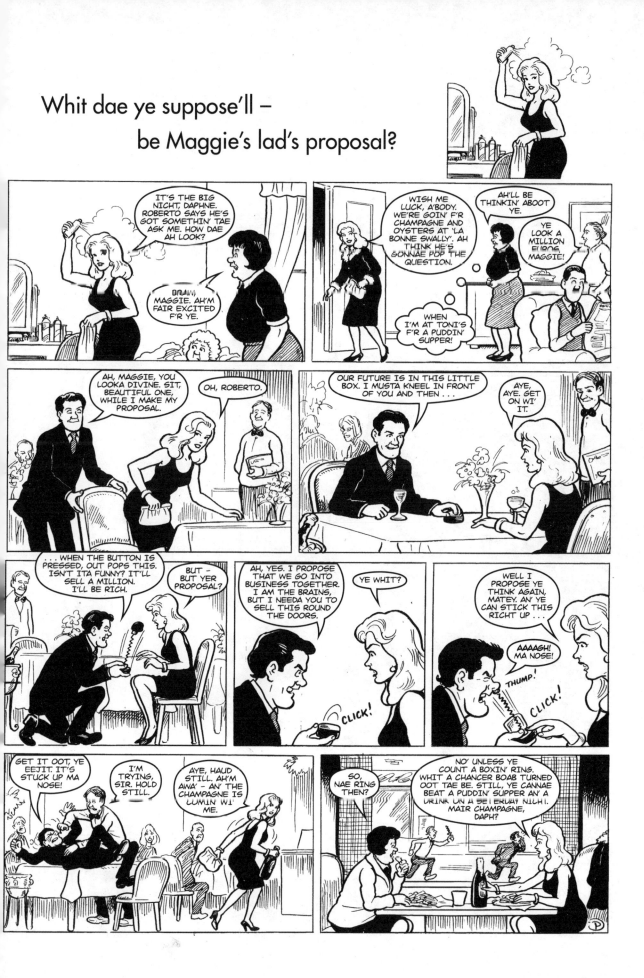

This new smoky drink –
isnae quite whit ye think.

At times it's awfy hard tae beat –

a guid auld-fashioned family treat.

Meet a wily auld rogue –

wi' an awfy strong brogue.

When it comes tae the crunch – it's a dear Sunday lunch.

Every Broon has a selection –

for the forthcomin' election.

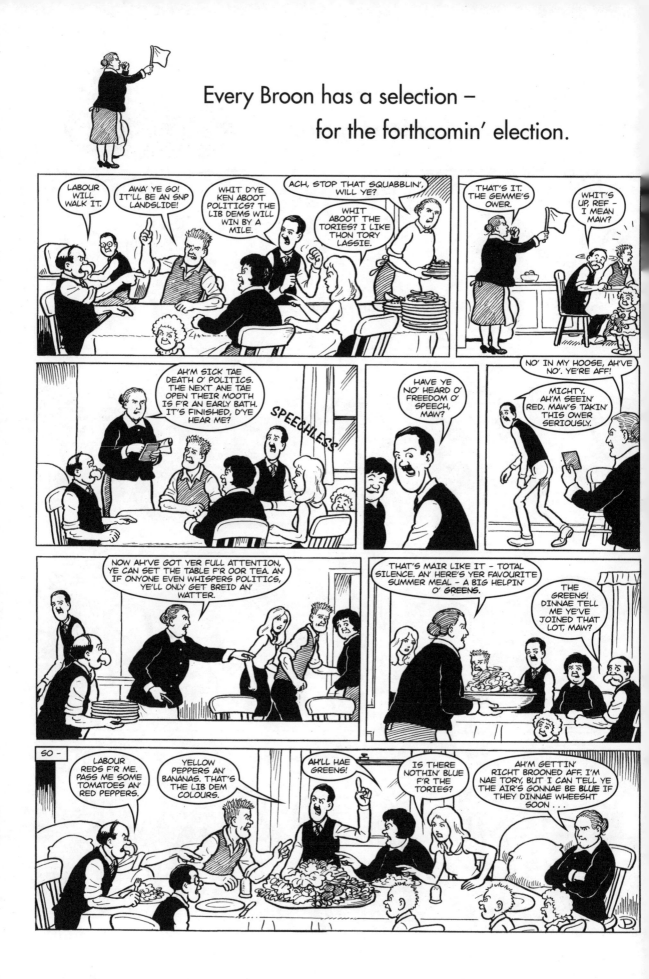

This isnae half surprisin' –
Paw Broon's soliloquisin'.

Puir Mrs Niven's a' a dither –
a'thin's goin' wrong thegither.

They're shootin' the grouse –
that lives inside the house.

The Broons a' want their denner oot – but nuthin' onywhere will suit.

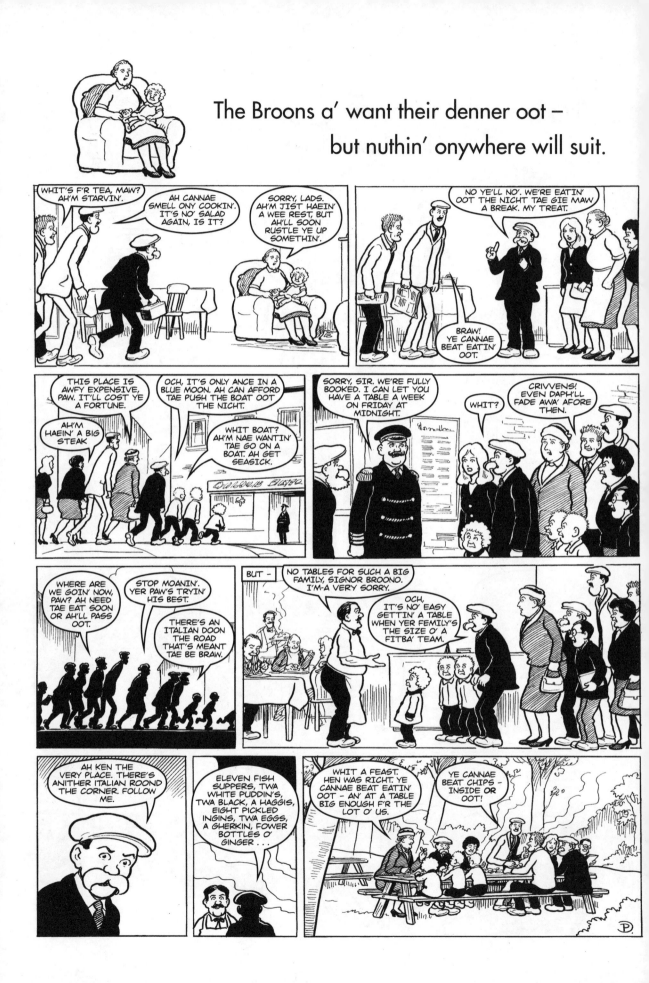

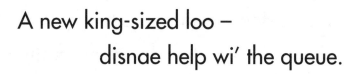

A new king-sized loo –
disnae help wi' the queue.

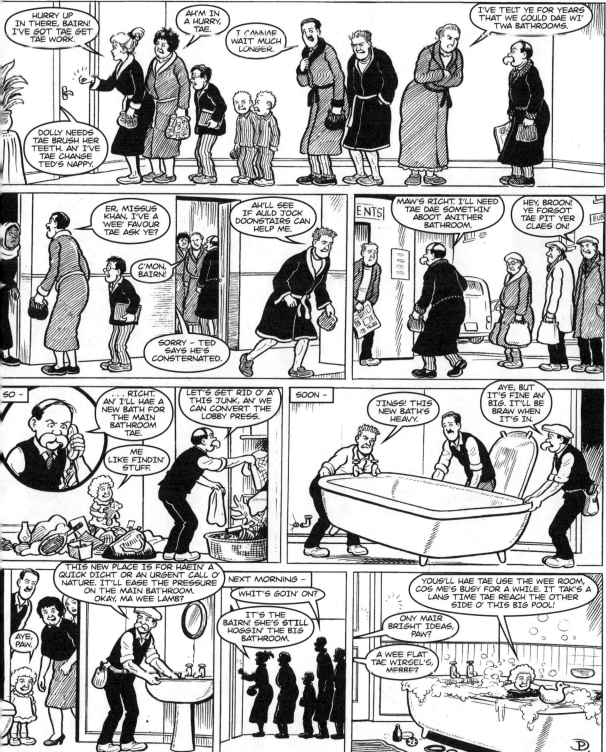

Paw's doon in the mooth –

when he's facin' the truth.

Daphne's worst idea yet –
is datin' on the internet.

The biggest an' the best –
leaves Maw far fae impressed.

When anwerin' Ma Nature's call –
ye dinnae need a phone at all.

It's best tae keep lookin' –
afore ye go dookin'.

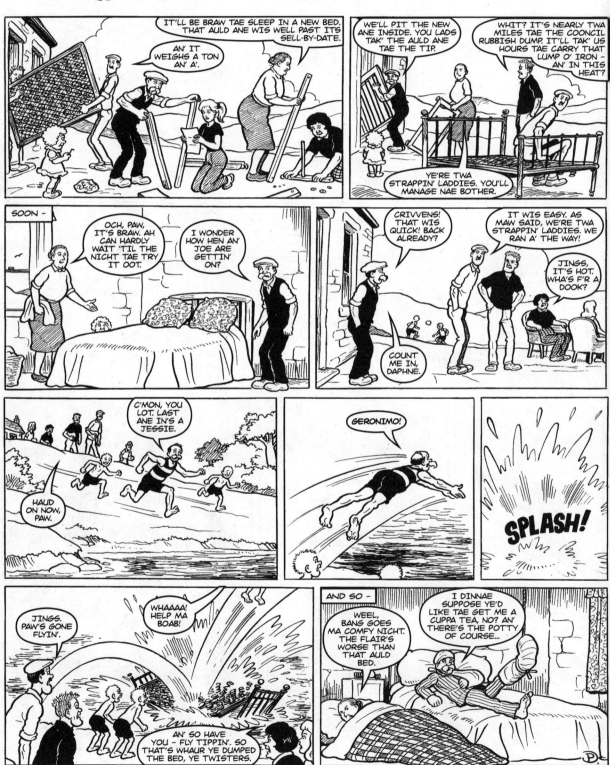

Some fowk prefer the dark –
tae risin' wi' the lark.

Hen's passport photograph –

is sure tae raise a laugh.

The washin' rope is workin' fine –
but look whit's hangin' on the line.

Crivvens! It's nae joke –
the tea's gone up in smoke.

Jist look at Granpaw run –

when auld Annie 'comes undone'.

It seems that Glebe Street's needin' –
a plan tae stop fowk speedin'.

Paw kens the very mannie –
tae tak' the auld pianny.

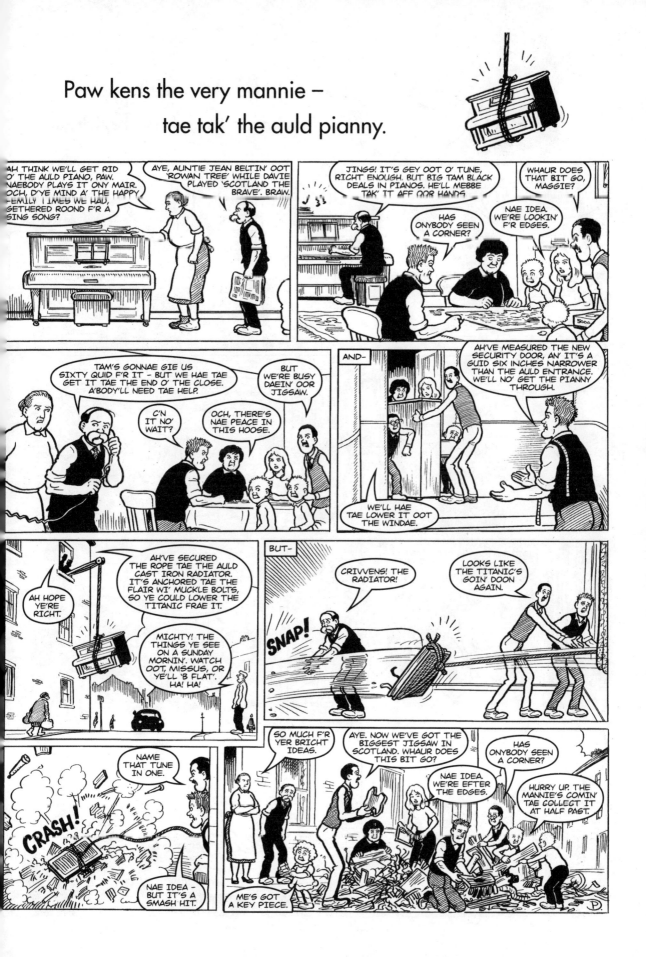

Hard work could be the price tae pay –
when a'body's on holiday.

A tea-bag invasion –
is quite an occasion.

Baith Hen an' Joe look classy –
when they're oot tae land a lassie.

There's ways o' haein' fun –
while gettin' hard work done.

Guess wha's at fault –
for the fake vintage malt.

He cannae eat an' cannae speak –

but Paw Broon's future's far fae bleak.

There's aye a load o' blethers –
wi' Scotland's mony weathers.

Drippin' through the roofin' –
means time for weather-proofin'.

A shed that's built wi'oot a nail –
is jist the kind that well micht fail.

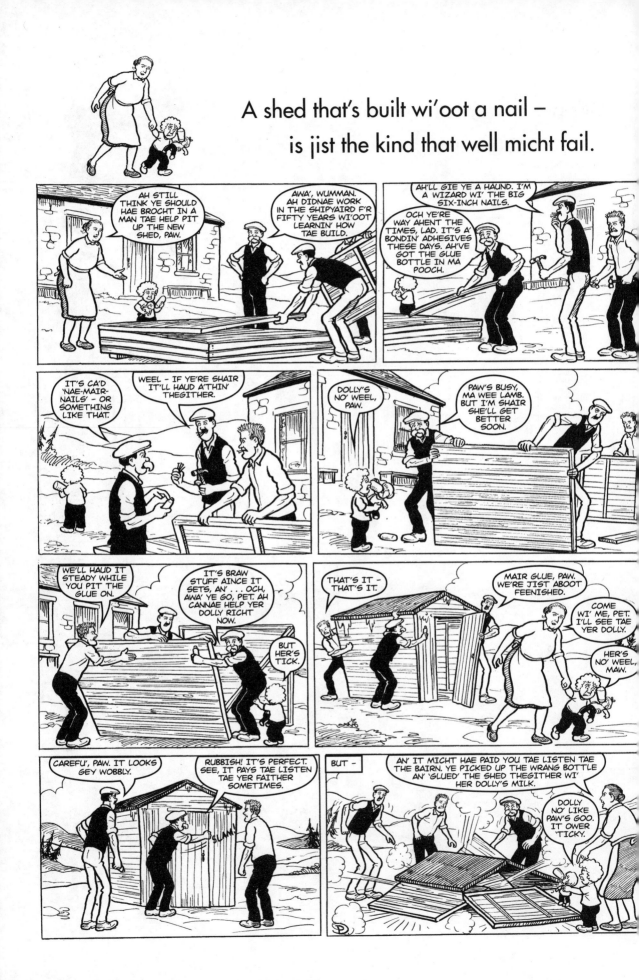

For continental style an' grace –
the But an' Ben's the perfect place.

When a cooker needs shifted –
ye can guess whit gets lifted.

It micht no' tick or even tock –

but Glebe Street's got a speakin' clock.

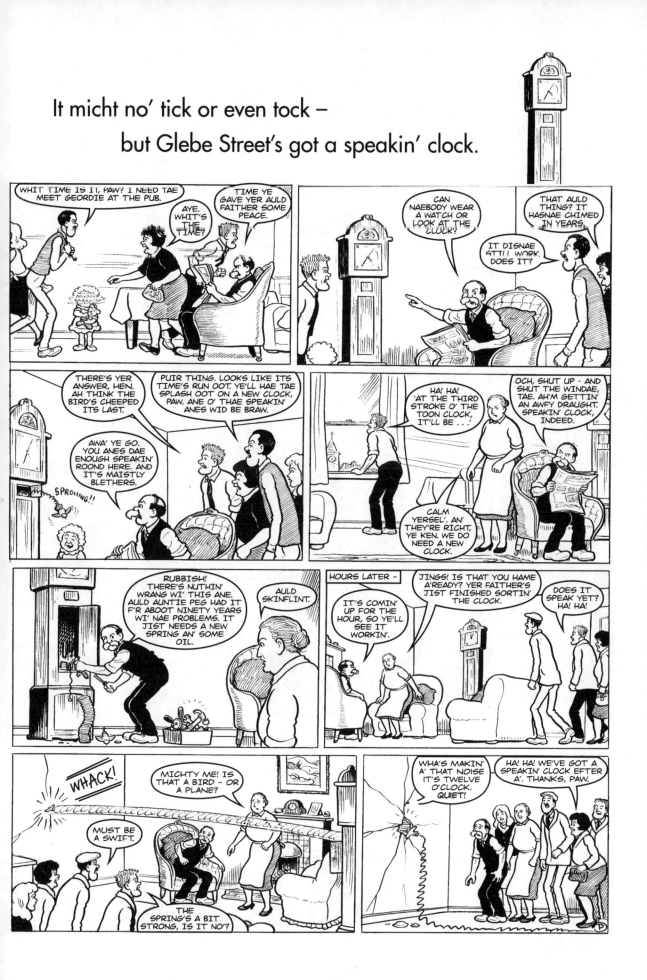

Hen disnae need machines –

tae crack a tin o' beans.

Twist an' birl an' tap yer toe –
    tae the latest sounds o' long ago.

Ssh! Ye cannae tell –
the secret o' the well.

Prepare for a surprise –

when Paw texts for supplies.

Paperin' the bedroom wa' –
is easy-peasy work for Paw.

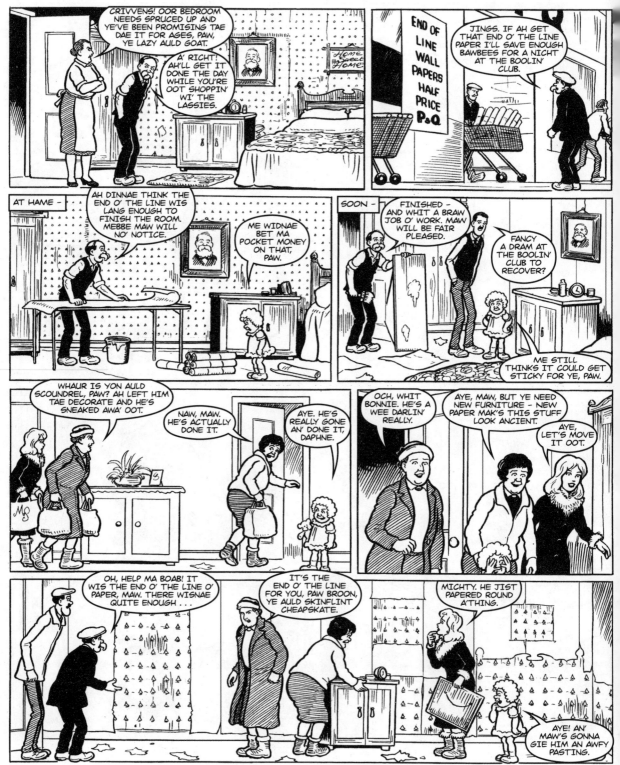

There's chaos when they're makin' –
a plate o' eggs an' bacon.

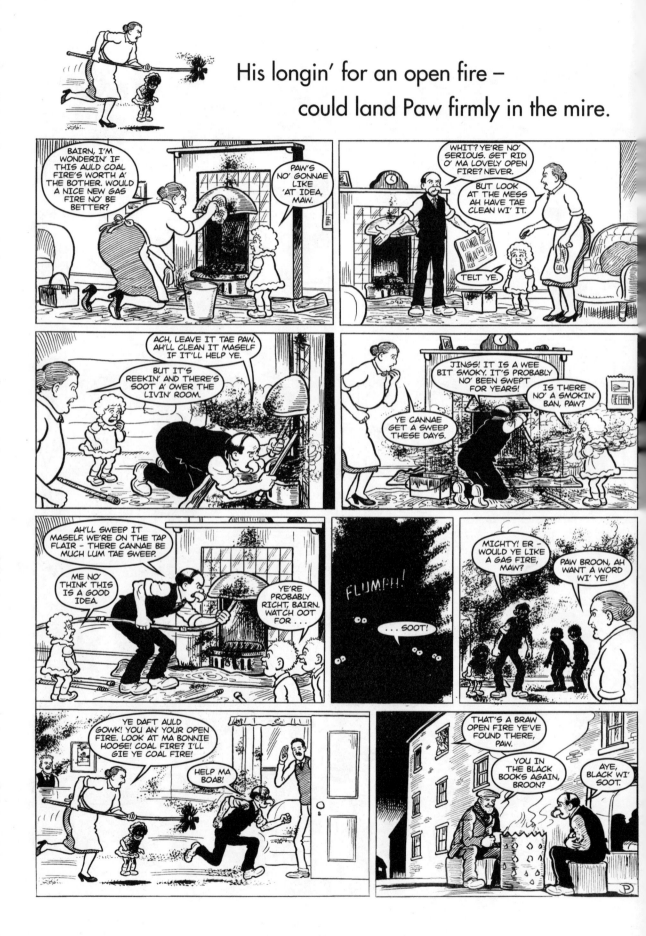

His longin' for an open fire –
could land Paw firmly in the mire.

Maw an' Paw are no' delighted –

a weddin' an' they're no' invited.

It's no' a glorious thing –
tae crown a Broon as king.

The Bairn is greetin' cos she cannae –
sleep thanks tae a ghostie mannie.

They should hae kent it wisnae fittin' –
tae leave an auld lad babysittin'.

An angry altercation –

an' Joe's headin' doon the station.

There's a hair-raisin' factor –

'bout this smoke extractor.

A knocked doon 'country estate' –
is somethin' the Broons wid hate.

It's nae laughin' matter –
when yer in the cauld watter.

That sounds like somethin' o' a lark –
boolin' ootside in the dark.

The scariest sicht ye've seen –
is the monster o' Hallowe'en.

Some fat in a box –
– spells the end for Guy Fawkes.

This stove for the heatin' –
jist cannae be beaten.

Whit an awfy carry on –
jist because a poppy's gone.

Musician Hen is awfy flash –

an' he's in the clink, like Johnny Cash.

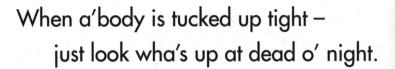

When a'body is tucked up tight –
just look wha's up at dead o' night.

Ower mony bins is ower much fuss –
for this re-cyclin' genius.

Paw cannae stand much more –
o' sellin' at his door.

Jist whit's the special recipe –
the Bairn's got planned for Dolly's tea?

When a' the household bills are risin' –
it's time for some economisin'.

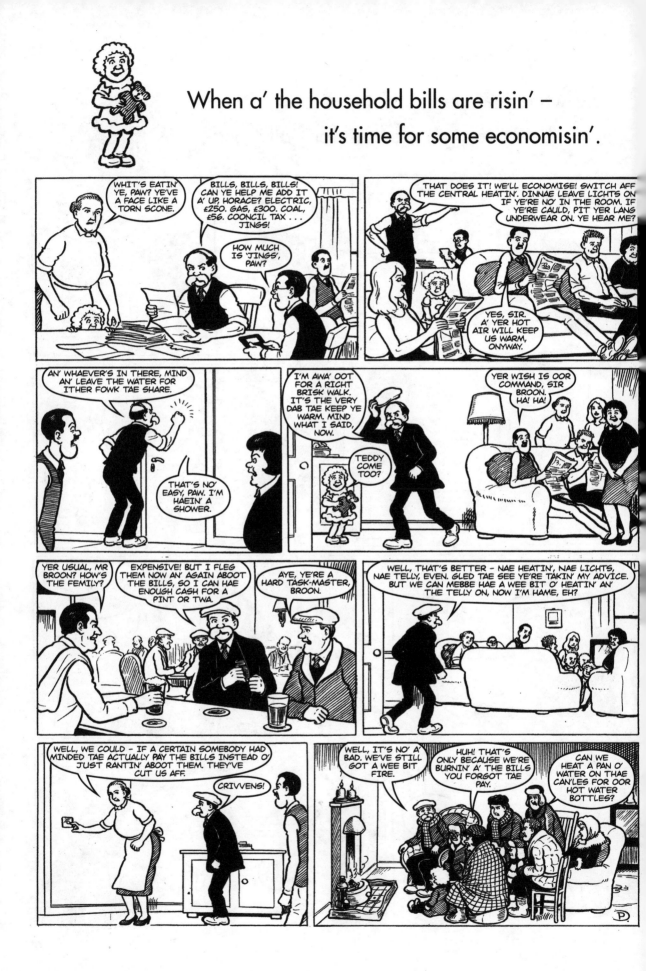

Hen thinks it's a shame –
when the names are the same.

At Glebe Street Christmas cheer – is lyin' low this year.

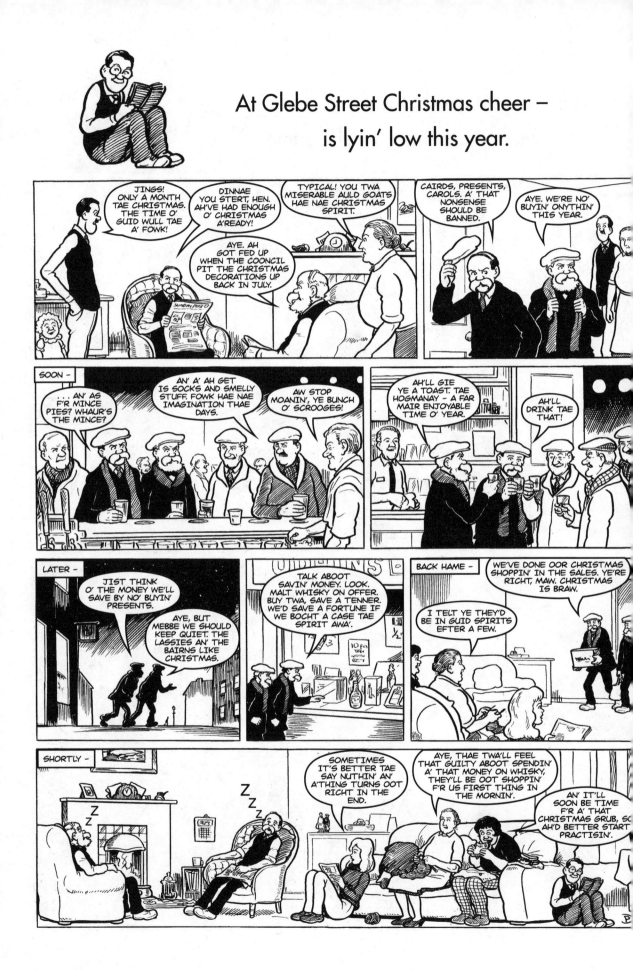

Horace Broon is lookin' glum –
cos look whit's no' gone up the lum.

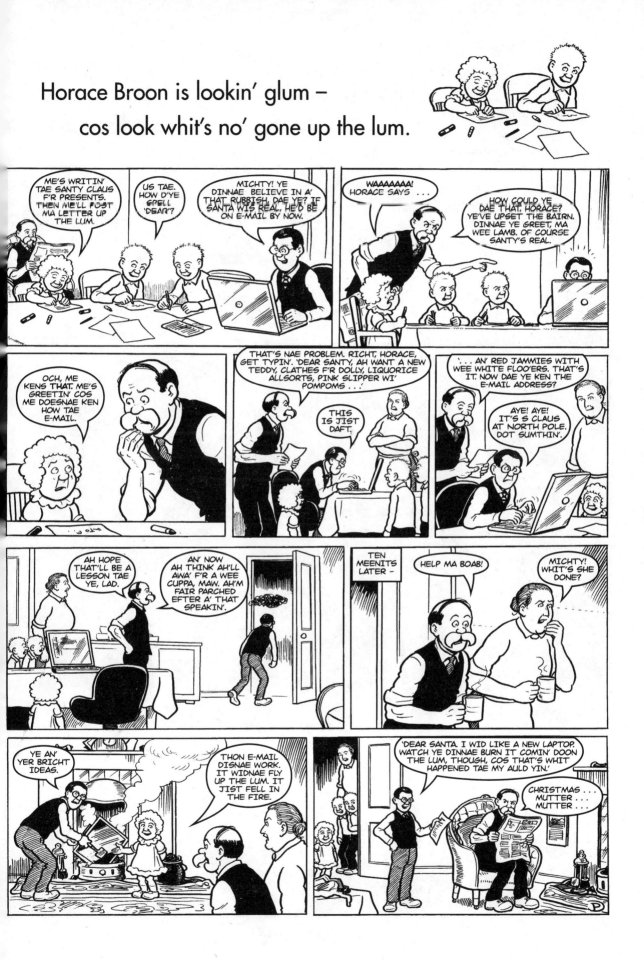

Naebody must recognise –
Granpaw in this braw disguise.

The gas is aff, an' a' because –
the Bairn's expectin' Santa Claus.

It's plain tae a' Hen isnae built –
wi' legs that look guid in a kilt.